P9-CEL-659

Bienvenue à Fraisi-Paradis

RETROUVEZ Charlotte aux Fraises DANS

MA PREMIÈRE BIBLIOTHÈQUE ROSE

Bienvenue à Fraisi-Paradis

Caramiel fait sa mauvaise tête

Novélisation : Katherine Quenot
Conception graphique du roman : François Hacker

Hachette Livre, 43, quai de Grenelle, 75015 Paris.

Bienvenue à Fraisi-Paradis

HACHETTE

Charlotte aux Fraises

La principale qualité de Charlotte aux Fraises est la gentillesse. Elle adore les fraises, bien sûr, mais ce qu'elle préfère par-dessus tout, ce sont son chien Clafoutis, son chaton Pralinette et surtout sa petite sœur Croque-Pomme et tous ses amis.
Charlotte aux Fraises vit dans une maison en forme de fraise, où tout est rouge et beau !

Clafoutis

Avec ses taches bleues en forme de fraise, ce petit chien fou-fou est le roi des bêtises. Mais sa maîtresse ne le dispute jamais car « c'est une petite boule de bonheur ! »

Pralinette

Cette petite chatte n'est jamais contente : elle aimerait voir des sardines pousser à Fraisi-Paradis, plutôt que des fraises ! Mais, sous la fourrure rose de ce chaton ronchon bat un fraisi-grand cœur...

Croque-Pomme

Haute comme trois pommes, la petite sœur adorée de Charlotte aux Fraises commence tout juste à parler et zézaie un peu. Et elle aime beaucoup se promener dans les bras de sa sœur.

Cookinelle

Régnant sur le Pays de la Boîte à Biscuits, elle est l'inventrice de l'Incroyable Machine à Biscuits.
Ses spécialités ? Toutes !

Angélique

Au Pays des Mille et Une Feuilles où elle vit, les maisons sont des gâteaux décorés de fruits confits, de pâte d'amande et de pépites de chocolat... Et Angélique est une merveilleuse pâtissière.

Fleur d'Oranger

Un peu timide et si gentille, c'est un véritable concentré de joie de vivre. Reine du Pays des Vergers, c'est la grande spécialiste du jus de fruits… D'ailleurs, le toit de sa maison n'est autre qu'une gigantesque orange !

Coco-Berry

Coco-Berry se déplace presque exclusivement en planche à roulettes et adore jouer et grimper aux arbres. Ce n'est pas un hasard s'il s'entend si bien avec Pralinette !
Le Pays des Buissons Sauvages, où il habite, est connu pour sa rivière Choco-Truffe.

Caramiel

Elle habite la Prairie des Délices mais voyage beaucoup, car sa grande passion ce sont les aventures... ou plutôt les raconter ! Avec ses longs crins blonds parsemés de fleurs, Caramiel est une jolie ponette et elle le sait ! Très bavarde, elle a parfois tendance à ne penser qu'à elle... Mais tout le monde lui pardonne, car elle a la classe d'une star de cinéma !

Fraisi-Paradis

À Fraisi-Paradis, il y a des fraises et encore des fraises. Elles sont parfois si grosses qu'il faut une brouette pour en transporter une seule ! C'est un endroit charmant et fraisi-fabuleux à vivre.

Fraisi-Paradis est entouré d'autres régions tout aussi délicieuses : le Pays de la Boîte à Biscuits, le pays des Vergers, le Pays des Mille et une Feuilles et le Pays des Buissons Sauvages. Une route traverse ces merveilleuses contrées : c'est le chemin Tutti Frutti, pavé de biscuits.

Le premier anniversaire de Croque-Pomme

Quel est donc ce pays où il pleut des fraises ? Où l'on patauge dans des flaques de sirop de fraise ? Où il neige des flocons de fraises au sucre ? Pas de doute, c'est Fraisi-Paradis : le paradis des fraises et donc celui de la charmante Charlotte aux Fraises !

Pourtant, ce n'est pas le paradis pour tout le monde... Pralinette, la petite chatte rose de Charlotte aux Fraises, trouve que cet endroit n'est pas idéal pour les chats.

— Tu te régales de fraises, de myrtilles, de cassis, de groseilles, mais où sont donc les buissons à sardines ? râle-t-elle.

Il est vrai que, dans un pays aussi fraisi-fabuleux que Fraisi-Paradis, il pourrait y avoir des buissons à sardines ! Mais non, même pas !

Charlotte aux Fraises pardonne à sa petite chatte sa mau-

vaise humeur. La vie serait ennuyeuse si tout le monde était parfait ! Elle trouve aussi que les bêtises de son petit chien Clafoutis sont drôles. Et les chamailleries continuelles de Clafoutis et Pralinette ne sont pas bien graves...

Soudain, la petite fille saute de joie. Par la fenêtre de sa maison, elle vient de voir de grosses marguerites descendre du ciel en planant. Les marguerites volantes sont le moyen de transport préféré de Croque-Pomme, sa petite sœur...

D'un bond, Charlotte aux Fraises est dehors. L'une des marguerites se pose doucement sur le sol. Un pétale se soulève et Croque-Pomme, un bout de chou haut comme trois pommes, apparaît. Charlotte aux Fraises fait tourner dans ses bras sa petite sœur adorée, qui se met à rire de plaisir.

— Aujourd’hui, c’est ton anniversaire, ma choupinette. Le premier !

Comme le vœu le plus cher de Charlotte aux Fraises est d’organiser une belle fête pour sa petite sœur, elle souffle sur une fleur nommée Vœu-Joli. Cette fleur,

qui pousse exclusivement à Fraisi-Paradis, permet d'exaucer les vœux... Mais maintenant il faut se mettre au travail, car, bien sûr, un vœu ne se réalise pas si on reste à se tourner les pouces !

— Pour réussir un anniversaire, résume Charlotte aux Fraises, quatre choses sont indispensables : des biscuits, des jus de fruits, des chapeaux de papier et, évidemment, un gâteau d'anniversaire !

Mais où trouver tout ça ? En fait, Charlotte aux Fraises a une petite idée derrière la tête....

En route pour le Pays de la Boîte à Biscuits

La petite fille sort de son buffet une carte qui représente les autres pays autour de Fraisi-Paradis. Au nord-est, il y a le Pays des Buissons Sauvages, au sud-est, le Pays de la Boîte à Biscuits, au sud-ouest, le Pays des Vergers et, au nord-ouest, le Pays des Mille et

Une Feuilles. Pour les chapeaux en papier, il faut se rendre au Pays des Chapeaux Melon. Celui-ci n'est pas indiqué sur la carte mais, toujours optimiste, Charlotte aux Fraises se dit qu'elle le trouvera bien en cours de route.

Prêts pour le départ ! Pour pouvoir ramener ses provisions, la petite fille prend sa brouette. Quelle aubaine pour Croque-Pomme de se faire pousser dedans ! Mais il y a un deuxième passager : Pralinette, qui n'a pas envie de salir ses petites pattes roses...

— Nous allons suivre le chemin Tutti Frutti, annonce Charlotte aux Fraises en s'élançant, Clafoutis sur les talons.

Et la brouette rose s'engage sur le chemin de biscuits qui serpente entre les collines vertes. La petite troupe arrive bientôt

devant une pancarte, dont quelqu'un a croqué un morceau. Pas étonnant : celle-ci indique la direction du Pays de la Boîte à Biscuits !

Sous leurs yeux, s'étale un paysage digne d'un conte de fées. C'est le Pays de la Boîte à Biscuits, où tout se mange, même les pierres qui sont en fait d'énormes bonbons !

— Miam ! fait Croque-Pomme

en humant l'odeur délicieuse qui flotte dans l'air.

— Ce sont les millions de biscuits en train de dorer au four ! s'exclame Charlotte aux Fraises avec gourmandise.

Mais c'est bizarre : plus ils avancent, plus il y a du bruit. C'est exactement le tintamarre que pourrait produire une machine infernale...

— J'ignorais que c'était aussi effrayant de faire des gâteaux ! miaule Pralinette.

Ils aperçoivent alors une jeune personne qui sort d'un grand bâtiment tout en biscuits. Voilà

que Clafoutis fonce sur elle et lui bondit dessus. Patatras ! Tous les gâteaux qu'elle transportait se retrouvent par terre...

— Je suis vraiment désolée ! s'écrie Charlotte aux Fraises en accourant.

— Moi aussi ! gémit la pâtissière.

Mais elle n'est pas fâchée très longtemps, car comment résister à ce joli petit chien blanc et bleu qui lui fait la fête ?

— Je m'appelle Cookinelle, dit-elle en invitant les nouveaux venus à visiter sa biscuiterie.

Les biscuits de Cookinelle sont

fabriqués par une machine si incroyable qu'elle s'appelle l'Incroyable Machine à Biscuits.

Quant à Clafoutis, il mériterait de s'appeler l'Incroyable Chien Qui Fait des Bêtises...

En essayant d'attraper un des biscuits qui passent sur le tapis

roulant, sa patte heurte un levier et l'incroyable machine s'emballe... Le sirop de fruits gicle partout, les fouets deviennent fous, et même les poules sont bombardées avec leurs propres œufs !

— Oh, pardonne-lui, Cookinelle ! s'écrie Charlotte aux Fraises en prenant Croque-Pomme sous son bras pour partir, suivie de ce coquin de Clafoutis.

Mais l'Incroyable Machine à Biscuits sait tout faire, y compris se réparer toute seule. Un petit produit magique dans la grande cuve, un bouton que l'on tourne, et tout rentre dans l'ordre !

Enfin... presque. Car quel est donc cet incroyable biscuit en forme de poisson ?

— Oh ! s'écrie Cookinelle. Il arrive parfois qu'un biscuit à la sardine se glisse par erreur...

Mais pour Pralinette, ce n'est

pas du tout une erreur. Au contraire, quel régal !

— Merci fraisi-fraisi beaucoup pour tous ces biscuits ! dit Charlotte aux Fraises à sa nouvelle amie. J'espère que nous allons trouver maintenant une Incroyable Machine à Jus de fruits...

Et la brouette rose repart, chargée de deux magnifiques bocaux remplis de biscuits.

Le Pays des Vergers

De l'autre côté de la colline, Charlotte aux Fraises découvre un pays qui pourrait bien être celui des Vergers. Au centre d'un jardin planté d'arbres fruitiers se dresse une maison, dont le toit est une énorme orange. À côté, perchée sur une échelle, se tient

une petite fille qui cueille des fruits.

Sa peau est comme du caramel et ses cheveux comme du chocolat... Et sa voix comme du miel, quand elle se met à chanter !

« Si tu veux voir germer
la graine que tu as plantée,
Donne-lui du soleil et de l'eau,
Elle poussera très haut. »

Cela donne envie à Charlotte aux Fraises de chanter, elle aussi. Alors, elle répond à la jardinière :

« Tout comme cette graine dans le sol,
N'importe où, même à l'école,
Tes amis, il faut les aimer,
Sois toujours à leurs côtés. »

Enthousiastes, les deux petites filles se rejoignent pour entonner ensemble :

« *L'amitié, c'est comme les fleurs,*
L'amitié, quel bonheur,
Ça grandit d'heure en heure... »

Alors qu'elles ne connaissent

même pas encore leur nom, leur amitié est déjà aussi éclatante qu'un bouquet de fleurs....

Sauf que, évidemment, quand on a un chien comme Clafoutis, on ne peut jamais être certain de pouvoir terminer sa chanson... Ce petit fou-fou tombe à la renverse dans un panier d'oranges, avant de rouler contre un arbre, dont tous les fruits dégringolent. Clafoutis est presque enseveli...

— Je te prie d'excuser mon chien ! s'exclame Charlotte aux Fraises. Il est tout excité...

— Moi aussi, je suis tout excitée, répond la jolie jardinière. Je

suis si contente de rencontrer de nouveaux amis...

— Je m'appelle Charlotte aux Fraises ! se présente la nouvelle venue.

— Moi, c'est Fleur d'Oranger. Qui veut un verre de jus de fruits ?

— Oh, je crois que nous sommes arrivés au bon endroit ! se réjouit Charlotte aux Fraises.

En effet, le jus de fruits coule à flots dans ce pays. Aussi belle que généreuse, Fleur d'Oranger offre une tournée générale. Seule Pralinette est très mécontente, comme toujours. A-t-on déjà vu un chat boire du jus de fruits ?

Le Pays des Mille et Une Feuilles

C'est avec regret que Charlotte aux Fraises quitte cette nouvelle amie qui est comme un concentré de joie de vivre. Mais elle ne repart pas bredouille : deux gros flacons du meilleur jus de fruits ont pris place dans sa brouette, à côté des bocaux de biscuits...

— Maintenant, il faut trouver

le gâteau d'anniversaire ! annonce-t-elle.

Cela tombe bien, car le pays voisin de celui de Fleur d'Oranger, juste un peu au nord, est celui des Mille et Une Feuilles.

— On trouvera peut-être un gâteau à la sardine, avec un glaçage à l'huile de morue ! rêve tout haut Pralinette.

— Pas bon, dit Croque-Pomme en faisant une petite moue.

— Ne t'inquiète pas, petite sœur, la rassure Charlotte aux Fraises, on va te trouver le meilleur des gâteaux !

Personne ne met en doute les paroles de Charlotte aux Fraises, d'autant que la petite troupe arrive en vue du plus alléchant des pays : le Pays des Mille et Une Feuilles ! Toutes les maisons sont des gâteaux ! Toits en brioche, murs de cake, fenêtres en gaufrettes, barrières en feuilleté. Et, pour les murs, la pâte à chou est largement utilisée...

— Un gâteau, ça se mange !

ronchonne Pralinette. On n'habite pas dedans !

Pourtant, quelqu'un apparaît à une porte... C'est une petite fille blonde à l'air sage et sérieux.

— Je peux peut-être vous aider ? demande-t-elle aux nouveaux arrivants.

Après les avoir fait entrer, la jeune pâtissière nommée Angélique leur présente toutes ses spécialités gourmandes. Mais Charlotte aux Fraises est ennuyée : aucune ne lui plaît vraiment...

D'abord un peu vexée, Angélique propose de fabriquer un gâteau sur commande. Dans son catalogue, il y a tout le choix dont on peut rêver. Mais quand un gâteau nommé Pommier apparaît, Croque-Pomme est formelle :

— Miam ! dit-elle en le montrant du doigt.

Hélas, sa joie est de courte durée. Apprenant que l'anniver-

saire a lieu aujourd'hui même, Angélique déclare qu'elle n'a pas le temps de le faire.

Heureusement, Charlotte aux Fraises a une idée : elle propose à Angélique de tous mettre la main à la pâte ! Celle-ci accepte.

— Ça peut être amusant de travailler avec des amis, dit-elle.

Et voilà, c'est parti ! En peu de temps, le gâteau est prêt à mettre au four et il ne reste plus à Pralinette qu'à tout nettoyer avec sa petite langue rose.

Le résultat est éblouissant.

Croque-Pomme est ravie et tous les autres aussi.

— Je ne m'étais jamais autant amusée en travaillant ! déclare Angélique. Tu es la meilleure, Charlotte aux Fraises !

Le Pays des Chapeaux Melon

Et la brouette repart, un peu plus chargée encore. Il ne reste plus maintenant qu'à trouver les chapeaux de papier...

— Direction le Pays des Chapeaux Melon ! s'écrie Charlotte aux Fraises.

Mais le problème est, juste-

ment, qu'il n'y a pas de direction... Ils tournent en rond sur le chemin Tutti-Frutti.

— Je crois que nous sommes fraisi-fraisi égarés ! soupire Charlotte aux Fraises.

— Je t'avais bien dit qu'il fallait prendre la route du haut ! grogne Pralinette.

Comble de malheur, Croque-Pomme se met à pleurer !

— Vous avez essayé par le nord ?

— Qui parle ? demande Charlotte aux Fraises en cherchant partout du regard.

— Ou par le sud ? reprend la voix. Ou par l'ouest ? Ou par l'est ?

À ce moment-là, une tête sort d'un gros buisson bleu. C'est celle d'une très jolie ponette aux longs crins blonds ornés de fleurs.

— Moi, Caramiel, je suis experte en routes et chemins ! annonce la nouvelle venue. Cela

me rappelle l'époque où je faisais visiter le domaine royal... Et le jour où j'ai ouvert l'épreuve olympique...

Cette ponette aux allures de star semble très bavarde !

— Peux-tu me dire comment aller au Pays des Chapeaux Melon ? demande Charlotte aux Fraises en profitant d'un moment où la ponette reprend sa respiration.

— C'est un de mes endroits préférés ! s'exclame Caramiel. Je vous y conduis, si vous le souhaitez...

C'est une proposition qui ne

se refuse pas. D'autant plus que Caramiel offre à Charlotte aux Fraises de grimper sur son dos, et même de tirer la brouette.

Pourtant, il y a un problème. Un gros problème, même : Caramiel ne sait pas du tout où elle va...

— Oh, misère ! gémit Charlotte aux Fraises. Nous nous sommes encore trompés de chemin !

— Ah, s'exclame Caramiel, ça me rappelle l'époque où j'étais à Trotte-Menu…

Mais Charlotte aux Fraises ne l'écoute plus. Elle regarde autour d'elle, intriguée. On dirait que quelqu'un les observe...

Charlotte aux Fraises avait raison : Clafoutis a repéré une maison d'où dépasse une longue-vue. Grimpé sur le toit, son bon chien jappe pour les avertir. Mais, que se passe-t-il ? Une trappe bascule et Clafoutis disparaît.

Quand Charlotte aux Fraises, très inquiète, pousse la porte de la maison, elle tombe sur son chien en train de couvrir un inconnu de coups de langue affectueux...

— Bonjour ! dit l'inconnu. Je m'appelle Coco-Berry. Et toi, tu es mademoiselle... ?

— Charlotte aux Fraises ! répond-elle en souriant.

Ma foi, ce jeune garçon semble très sympathique. Il lui propose de jeter un coup d'œil dans sa longue vue.

— Je vois une rivière, commente Charlotte aux Fraises. Mais... on dirait une rivière de chocolat !

— C'est la rivière Choco-Truffe, répond Coco-Berry. Vous voulez la voir de près ?

Tout le monde accepte à l'unanimité, même Pralinette. En chemin, Coco-Berry leur apprend que cet endroit est le Pays des Buissons Sauvages. Quant au Pays des Chapeaux Melon... il se trouve à des kilomètres de là. Quelle mauvaise nouvelle !

Comment vont-ils faire pour leurs chapeaux ?

Qu'à cela ne tienne, Coco-Berry est un garçon plein de ressources. En quelques instants, il fabrique un chapeau en tressant quelques tiges ornées de jolies baies violettes.

— Tiens, Minette, c'est pour toi ! dit-il en le posant sur la tête de Pralinette qui, pour la première fois, affiche un sourire.

Puis, Coco-Berry fabrique des chapeaux pour tout le monde.

— Vous n'avez plus besoin d'aller au Pays des Chapeaux Melon ! fait remarquer Caramiel d'un air malicieux.

— C'est exact ! confirme Charlotte aux Fraises. On a des chapeaux... et, surtout, nous avons fait la connaissance de plein de nouveaux amis !

— Et voici la rivière Choco-Truffe ! indique Coco-Berry en arrivant en haut d'une colline.

Une rivière de chocolat qui coule au milieu de l'herbe verte : Clafoutis en perd la tête ! Il se met à lécher tout le monde, comme s'il léchait déjà le chocolat. Dans son excitation, le chiot donne un coup de patte dans la brouette qui part toute seule.

— Croque-Pomme ! hurle Charlotte aux Fraises en voyant sa petite sœur dévaler la pente à toute allure.

Vite, elle saute sur le dos de Caramiel en lui demandant de partir au triple galop.

— Oh, fait Caramiel, cela me rappelle le jour où la Reine Cacao a sauté sur mon dos...

Enfin, l'incorrigible bavarde se décide à partir ! Cueillant une branche au passage, Charlotte aux Fraises improvise un lasso.

Et hop, la brouette est arrêtée in extremis au bord de la rivière. Quel soulagement ! Charlotte aux Fraises serre dans ses bras sa petite sœur.

— Encore ! réclame Croque-Pomme, enchantée.

Soudain, ils poussent tous un cri : la brouette repart ! Coco-Berry saute sur sa planche à roulettes pour la rattraper, mais c'est trop tard. Toutes les provisions sont éjectées de la brouette qui bascule dans la rivière en chocolat.

Pauvre Croque-Pomme ! Doit-elle dire adieu à sa fête d'anniversaire ? Bien sûr que non... Tel un jongleur, Coco-Berry rattrape au vol le contenu de la brouette.

Puis, il fabrique un radeau pour transporter les passagers et leurs victuailles. Les visiteurs

n'auront plus qu'à redescendre la rivière Choco-Truffe jusqu'à Fraisi-Paradis...

La fête d'anniversaire

Grâce au radeau, ils abordent rapidement Fraisi-Paradis. La reine du jour, Croque Pomme, est installée dans le plus beau fauteuil de Charlotte aux Fraises. Ils ont tout pour la fête : le meilleur jus de fruits du monde, les meilleurs biscuits, le meilleur

gâteau d'anniversaire, et des chapeaux que seul un Coco-Berry pouvait fabriquer...

— Mais avons-nous vraiment tout ? réfléchit Charlotte aux Fraises, qui a le sentiment qu'il manque quelque chose de très important.

— Oh, misère ! s'exclame-t-elle. Nous avons oublié les invités !

Comment faire ? Il est impossible de les avertir en si peu de temps ! À moins que... Apercevant des papillons par la fenêtre, Charlotte aux Fraises a une idée. Les traces que laisse

Clafoutis avec ses pattes imitent justement la forme de papillons...

Tout le monde se met au travail. Croque-Pomme verse de la peinture dans une bassine, Clafoutis trempe ses pattes pour laisser de belles traces sur le papier, Charlotte aux Fraises

découpe ces traces et Pralinette écrit l'invitation avec le bout de sa queue.

Et le tour est joué ! Les invitations sont pliées en deux, et ressemblent ainsi à des papillons qui prennent vie et s'envolent...

Après un moment d'attente qui leur semble interminable, ils entendent enfin frapper à la porte.

— Tous nos nouveaux amis sont là ! annonce Charlotte aux Fraises.

Au comble de la joie, Croque-Pomme bat très fort des mains. Elle souffle sa première bougie, pendant que tous ses amis chantent.

« Un joyeux anniversaire pour toi !
Distribue-nous tes sourires
On aura des souvenirs...
Des gâteaux et des cadeaux,
Le plus sympa est que tes amis soient tous là ! »

Table

Charlotte aux Fraises

Charlotte aux Fraises

Charlotte aux Fraises

GAME BOY ADVANCE
Charlotte aux Fraises
Le centre d'équitation du pays des crèmes glacées
3+
LICENSED BY
Nintendo
GAME FACTORY

THE GAME FACTORY

Imprimé en France par ***Partenaires-Livres***®
n° dépôt légal : 62685 - septembre 2005
20.24.1053.6/01 ISBN : 2.01.201053.9
Loi n° 49-956 du 16 juillet 1949
sur les publications destinées à la jeunesse